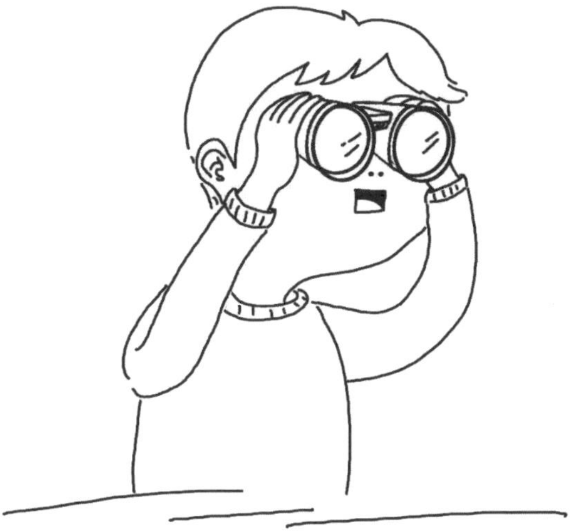

무엇이 보여요?

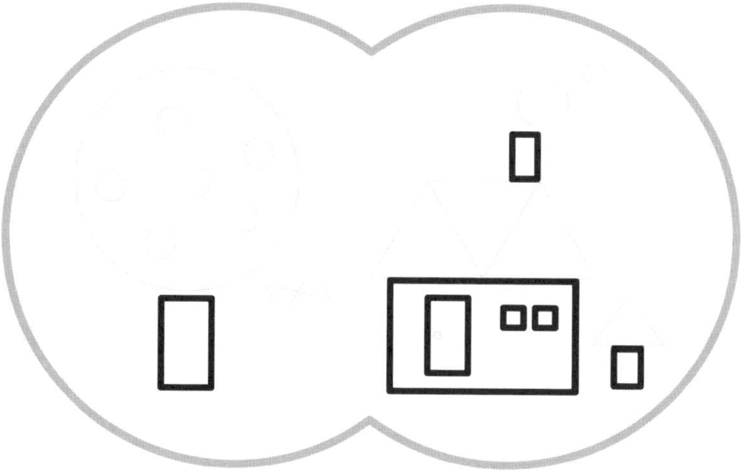

네모

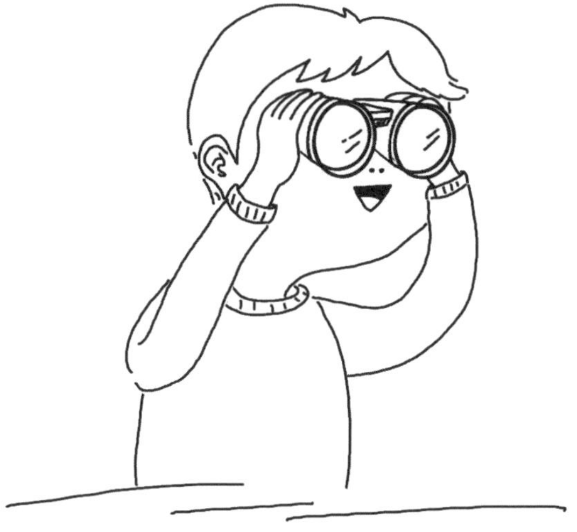

무엇이 보여요?

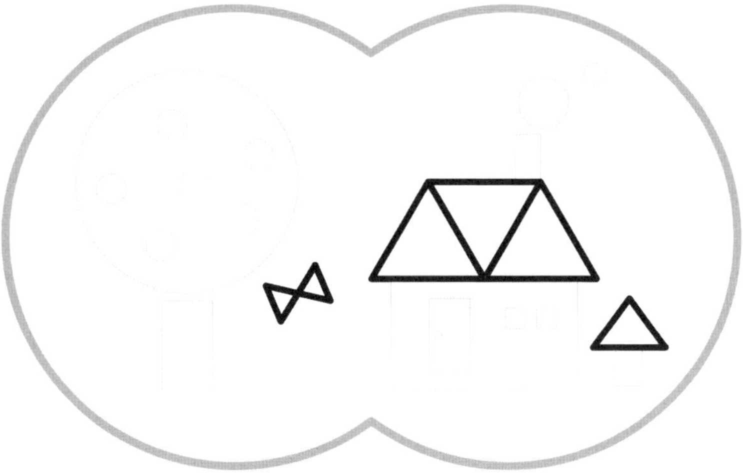

세모

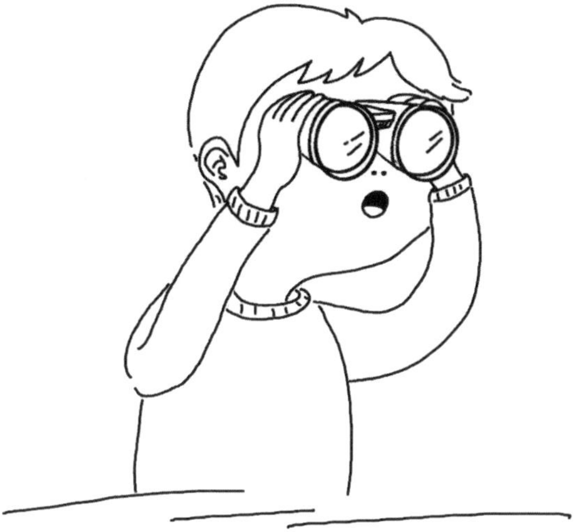

무엇이 보여요?

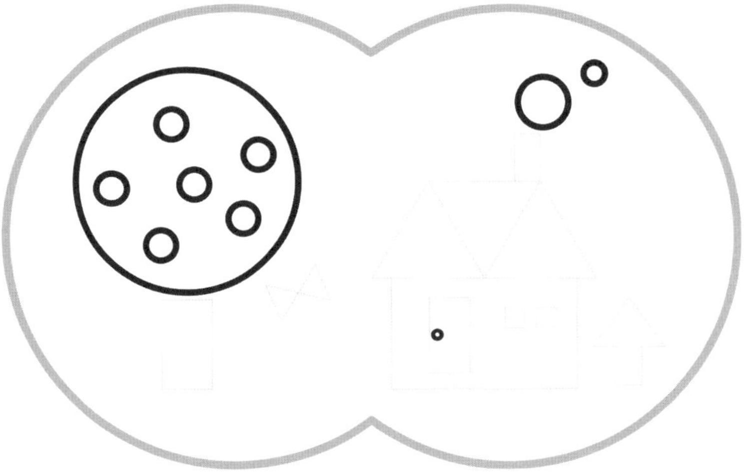

동그라미

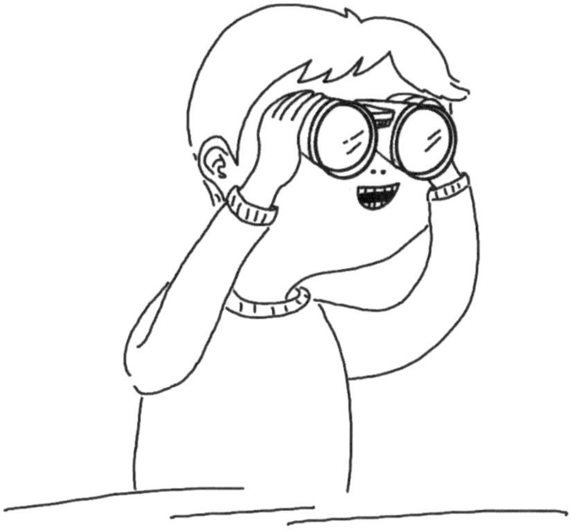

무엇이 보여요?

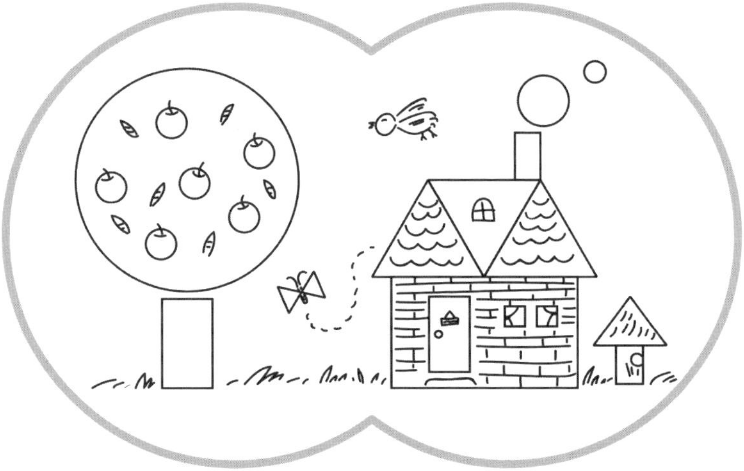

우리집